ROMA

D1537615

86 Vedute da Fotocolor Kodak Ektachrome
86 Views from Photocolor Kodak Ektachrome
86 Ansichten aus Photocolor Kodak Ektachrome
86 Vues de Photocoleur Kodak Ektachrome
86 Vistas de Fotocolor Kodak Ektachrome

Ediz. VERDESI S.R.L. - Tel. 3602605 - ROMA

Indice delle illustrazioni
Index of illustrations
Index vom Illustrationen
Index des illustrations
Indice de las ilustraciones

SAN PIETRO

L'attuale Basilica di San Pietro, iniziata il 18 aprile 1506 da Giulio II e consacrata il 18 novembre 1626 durante il Pontificato di Urbano VIII Barberini, si eleva su quella che l'Imperator Costantino fece costruire nel luogo dove la tradizione indicava la tomba dell'Apostolo Pietr Lavorarono e collaborarono per la bellezza dell'opera Raffaello, Giuliano e Antonio da San gallo, Baldassarre Peruzzi, Michelangelo che progettò la cupola meravigliosa, il Vignola, Ligorio, Della Porta, Domenico Fontana, Carlo Maderno.
Piazza San Pietro grazie all'ispirata creazione del colonnato di Gian Lorenzo Bernini (1657-1667) si offre all'ammirazione universale come il più suggestivo vestibolo del maggiore temp della Cristianità.

The present Basilica of St. Peter's, started on April 18, 1506 under Pope Julius II and dedicate on November 18, 1626 under the Pontificate of Urban VIII Barberini, is built over the Basilic which Emperor Constantine had built on the site where, according to tradition, the Apost Peter was buried. Many artists worked on this project and contributed to its beauty: Raphae Giuliano and Antonio da Sangallo, Baldassarre Peruzzi, Michelangelo who designed the wo derful dome, Vignola, Ligorio, Della Porta, Domenico Fontana and Carlo Maderno.
St. Peter's Square, thanks to the inspired creation of Gian Lorenzo Bernini's columnade (165 1667), offers itself to the general admiration as the most impressive gateway to the greates temple in Christendom.

Die heutige Peterskirche, am 18. April 1506 von Papst Julius II. (della Rovere) begonnen un am 18. November 1626 unter dem Pontifikat Urbans VIII. (Barberini) geweiht, erhebt sich übe dem Fundament der ehemaligen Basilika, die Kaiser Konstantin der Grosse (306-337) an de Stelle bauen liess, wo sich der Überlieferung nach das Grab des Apostels Petrus befan An der neuen Basilika arbeiteten Raffael, Giuliano und Antonio da Sangallo, Baldassarre Peruzz Michelangelo (der die herrliche Kuppel entwarf), Giacomo da Vignola, Pirro Ligorio, Giacom della Porta, Domenico Fontana und Carlo Maderno.
Der Petersplatz macht dank der Kolonnade, einer genialen Schöpfung Gian Lorenzo Bernini (1657-67), einen überwältigen Eindruck als Vorhof zum grössten Tempel der Christenheit.

L'actuelle Basilique de St. Pierre, commencée le 18 Avril 1506 par Jules II et consacrée le 18 Novembre 1626 pendant le Pontificat de Urbain VIII Barberini, s'élève sur l'ancienne églis que le empereur Constantin avait fait construire sur l'emplacement où, selon la tradition, s trouvait la tombe de l'Apôtre Pierre. Plusieurs artistes ont travaillé et collaboré à la beaut de l'ouvrage: Raphaël, Giuliano et Antonio da Sangallo, Baldassarre Peruzzi, Michel-Ange auteur du projet de la merveilleuse coupole, Vignola, Ligorio, Della Porta, Carlo Madern La Place de St. Pierre, grâce à sa Colonnade, merveilleuse création de Gian Lorenzo Bernin (1657-1667), s'offre à l'admiration universelle comme le plus suggestif vestibule du plus gran temple de la Chrétienté.

La actual Basílica de San Pedro, empezada el 18 de abril de 1506 por Julio II y consagrada 18 de noviembre de 1626 durante el Pontificado de Urbano VIII Barberini, se levanta sobre que el Emperador Constantino mandó construir en el lugar en que la tradición indicaba hallar la tumba del Apóstol Pedro. Para la belleza de la obra trabajaron y colaboraron Raffaello, G liano e Antonio da Sangallo, Baldassarre Peruzzi, Michelangelo que proyectó la maravillo cúpula, Vignola, Ligorio, Della Porta, Domenico Fontana, Carlo Maderno.
Plaza San Pedro, gracias a la inspirada creación de la columnata de Gian Lorenzo Bern (1657-1667), se ofrece a la admiración universal como el más sugestivo vestíbulo del may templo de la Cristiandad.

Piazza S. Pietro   Veduta aerea
Square of S. Peter - Aerial view
S. Peter Platz - Ansicht vom Flugzeug aus
Place S. Pierre - Vue aérienne
Plaza San Pedro - Vista aérea

Basilica di S. Pietro
Basilica of S. Peter
S. Peter Dom
Basilique de S. Pierre
Basilica de San Pedro

Basilica di S. Pietro (Interno) - Baldacchino del Bernini
Basilica of S. Peter (Inside) - Canopy by Bernini
Basilika von S. Peter (Inneres) - Baldachin von Bernini
Basilique de S. Pierre (Intérieur) - Baldaquin du Bernini
Basilica de San Pedro (interior) - Baldaquin de Bernini

LA PIETA'

La « Pietà » custodita nella Cappella della Pietà in S. Pietro, fu ordinata prima del 18 novembre 1497 e terminata verso il maggio 1499.
L'iconografia nordica, scelta forse in omaggio al committente, il Card. francese Jean de Villiers, indusse Michelangelo a deporre il Cristo morto sulle ginocchia della Madre, conferendo al gruppo una composizione piramidale. Questa opera conclude il primo soggiorno romano dell'artista e rientra in un momento di educazione all'equilibrio formale. In essa si armonizza la semplificata costruzione classica con il plasticismo più sontuoso della contemporanea scultura fiorentina. Michelangelo espresse in questa sua prima « Pietà » una dolce sensibilità e una contenuta dolente religiosità, soprattutto grazie al contrasto tra l'ampio panneggio e la fragile levigatezza dei volti della Madre e del Cristo.
Si trova nell'attuale cappella dal 1749.

The « Pietà », kept in the Pietà Chapel of St. Peter's, was ordered to the artist before November 18, 1497 and completed around May 1499. The Northern iconographic tradition, chosen perhaps as a mark of regard or the client, the French Cardinal Jean de Villiers, led Michelangelo to make the dead Christ lay on the Mother's knees, giving to the group a pyramidal composition. This work concludes the artist's first stay in Rome and fits into a stage of education in formal balance. In it the simplified classic pattern harmonises with the more sumptuous plasticism of the contemporary Florentine sculpture. In this first « Pietà », Michelangelo expressed a sweet sensitivity and a restrained sorrowful religiousness, mainly thanks to the contrast between the large draped folds and the frail smoothness of the faces of the Mother and Christ. The statue has been in its present location since 1749.

Michelangelos « Pietà », in der Peterskirche im Vatikan, wurde beim 22jährigen Bildhauer vor dem 18. November 1497 bestellt und im Frühjahr 1499 vollendet. Der Künstler wählte die eher nordische Darstellungsform der Maria mit dem Leichnam Christi auf dem Schoss möglicherweise im Hinblick auf den Auftraggeber, den französischen Kardinal Jean de Villiers. Mit dieser pyramidenförmigen Komposition, die seinen ersten Aufenthalt in Rom abschloss, schuf Michelangelo ein formal ausgeglichenes Werk in harmonischer Verbindung von schlichter klassischer Konstruktion und prächtiger Plastizität der florentinischen Bildhauerkunst seiner Zeit. Diese erste Pietà des Meisters drückt sanfte Empfindung und beherrschte schmerzliche Religiosität aus. Der reiche Faltenwurf kontrastiert mit der zarten und feinen Glätte des Antlitzes der Maria und Christi. Seit 1749 befindet sich das Werk in der 1. Kapelle des rechten Seitenschiffs der Peterskirche.

La « Pietà », qui se trouve dans la Basilique de St. Pierre, fut commandée avant le 18 Novembre 1497 et terminée vers Mai 1499.
L'iconographie nordique, choisie probablement pour rendre hommage à celui qui l'avait commandée, le Cardinal français Jean de Villiers, poussa Michel-Ange à déposer le Christ mort sur les genoux de la Vierge, donnant ainsi au groupe une composition pyramidale.
La « Pietà » marque la conclusion du premier séjour romain de l'artiste et fait partie d'un moment d'éducation à l'équilibre formel.
Dans cette œuvre la simplicité de la construction classique s'harmonise avec le somptuosité du goût des effets plastiques de la sculpture florentine contemporaine. Michel-Ange exprime dans cette première « Pietà » une douce sensibilité et une religiosité dolente et contenue surtout grâce au contraste entre l'ample draperie et le poli fragile des visages de la Vierge et du Christ.
La « Pietà » se trouve dans la chapelle actuelle depuis 1749.

La « Pietà » conservada en la Capilla de la « Pietà » de San Pedro, fue encomendada antes del 18 de noviembre de 1497 y llevada a cabo hacia mayo de 1499.
La iconografía nórdica, escogida quizás en honor del comitente, el cardenal francés Jean Villiers, convenció a Michelangelo a colocar al Cristo muerto sobre las rodillas de la Madre confiriéndole al grupo una composición piramidal. Esta obra concluye la primera estancia romana del artista y se coloca en un momento de educación al equilibrio de formas. En ella armoniza la simplificada construcción clásica con el plasticismo más suntuoso de la escultura florentina contemporánea. Michelangelo expresó en esta primera « Pietà » una dulce sensibilidad y una contenida dolorosa religiosidad, sobre todo gracias al contraste entre el amplio despliegue de las vestimentas y la frágil lisura de las caras de la Madre y del Cristo.
Se halla en la actual capilla desde 1749.

Basilica di S. Pietro - « La Pietà »
Basilica of S. Peter - « La Pietà »
Basilika S. Peter - « La Pietà »
Basilique de S. Pierre - « La Pietà »
Basílica de San Pedro - « La Pietà »

BASES · PILARVM

EX · LAPIDE · TIBVRTINO · MARMOREAE

Ḥ ⅠX̄ · PONTIFICATVS · AN · X̄ⅠⅠⅠ ·

Cortile di S. Damaso
Courtyard of S. Damase
S. Damasus Holf
Cour de S. Damase
Patio de San Dámaso

Cappella Sistina
Sixtine Chapel
Sixtinische Kapelle
Chapelle Sixtine
Capilla Sixtina

LA CAPPELLA SISTINA

La Cappella Sistina, ove si tengono i Conclavi e le più solenni cerimonie alle quali interviene il Pontefice, prende il suo nome da Sisto IV che la fece costruire da Giovanni de' Dolci (1473-84). Essa deve la sua fama agli affreschi di Michelangelo sulla volta e la parete di fondo, capolavori pittorici dell'artista, e agli affreschi delle pareti laterali e d'ingresso, compiuti da alcuni dei più insigni pittori del sec. XV.

The Sistine Chapel, where the Church holds its Conclaves and the most solemn ceremonies in which the Pope participates, takes its name from Pope Sixtus IV who caused it to be built by Giovanni de' Dolci (1473-84). It oves its fame to the frescoes painted by Michelangelo on the vault and back wall, the artist's painting masterpiece, and to those painted on the side and entrance walls by some of the most eminent painters of the XV Century.

Die Sixtinische Kapelle, inder die Konklaven zur Papstwahl und feierliche Zeremonien in Anwesenheit des Papstes stattfinden, ist nach Sixtus IV. genannt, der sie von Giovanni de' Dolci (1473-84) errichten liess. Die Kapelle ist berühmt durch die Fresken Michelangelos an der Decke und an der Altarwand und andere Fresken an den Seitenwänden von einigen der grössten Maler des 15. Jahrhunderts.

La Chapelle Sixtine, où ont lieu les Conclaves et les cérémonies plus solennelles auxquelles participe le Pape, doit son nom à Sixte IV qui la fit construire par Giovanni de' Dolci (1473-84). Cette chapelle est célèbre surtout grâce aux fresques sur la voûte et le mur de fond, chefs d'œuvre de peinture par Michel-Ange, et aux fresques sur les murs latéraux et d'entrée réalisées par certains grands peintres de XVᵉ siècle.

La Capilla Sixtina, donde tienen lugar los Cónclaves y las más solemnes cerimonias en las que interviene el Pontífice, toma su nombre de Sixto IV que la encargó a Giovanni de' Dolci (1473-1484). Pero debe su fama a los frescos que Michelangelo realizó en la bóveda y en la pared de fondo, verdaderos obra de arte del artista; los de las paredes laterales y de la pared de entreda han sido llevados a cabo por algunos de los más famosos pintores del siglo XV.

Città del Vaticano - Giardini Vaticani
City of the Vatican - Vatican Gardens
Stadt des Vatikans - Vatikan-Gärten
Cité du Vatican - Jardins du Vatican
Ciudad del Vaticano - Jardines Vaticanos

Pinacoteca Vaticana - Domenichino - Comunione di S. Girolamo
Vatican Picture-Gallery - Domenichino - Communion of S. Jerome
Vatikan-Pinakothek - Domenichino - Kommunion des heiligen Hieronymus
Pinacothèque Vaticane - Domenichino - Communion de S. Jérôme
Pinacoteca Vaticana - Domenichino - Comunión de San Jerónimo

Pinacoteca Vaticana - Giotto - Martirio di S. Pietro
Vatican Picture-Gallery - Giotto - Martyrdom of S. Peter
Vatikan-Pinakothek - Giotto - Martyrium des heiligen Petrus
Pinacothèque Vaticane - Giotto - Martyre de S. Pierre
Pinacoteca Vaticana - Giotto - Martirio de San Pedro

LA PINACOTECA VATICANA

L'origine dei Musei vaticani risale al periodo del Rinascimento con Giulio II, Leone X, Clemente VII che fecero radunare nel cortile del Belvedere frammenti di sculture classiche. Solo nel secolo XVIII però si raggiunse una razionale sistemazione con i pontificati di Clemente XIV e Pio VI, e nel secolo successivo con Pio VII che scelse Antonio Canova per attuare un piano organico di sistemazioni.

The origin of the Vatican Museums dates back to the Renaissance period under Popes Julius II, Leo X and Clemens VII, who caused fragments of classic sculpture to be collected and displayed in the Belvedere Courtyard. It was only in the XVIII Century, however, that the Museums were rationally laid out under Popes Clemens XIV and Pius VI, and in the next century by Pius VII, who had Antonio Canova carry out a systematical organization.

Die Vatikanischen Museen haben ihren Ursprung in der Renaissance, als die Päpste Julius II., Leo X. und Klemens VII. Bruchstücke klassischer Skulpturen im Belvedere-Hof aufstellen ließen. Aber erst im 18. Jahrhundert unter Klemens XIV. und Pius VI. kam es zu einer besseren Anordnung der Sammlungen, und Anfang des 19. Jahrhunderts beauftragte Pius VII. den Bildhauer Antonio Canova mit der Ausarbeitung eines systematischen Plans für die Museen.

L'origine des Musées du Vatican remonte à l'époque de la Renaissance sous les Papes Jules II, Léon X, Clément VII qui firent rassembler des fragments de sculptures classiques dans la Cour du Belvédère; mais ce fut seulement pendant le XVIIIᵉ siècle que l'on arriva à une disposition rationnelle sous les Papes Clément XIV et Pie VI et finalement, le siècle suivant Pie VII choisit Antonio Canova pour réaliser un plan systématique de rangement.

El origen de los Museos vaticanos remonta al período del Renacimiento bajo los Papas Julio II, León X, Clemente VII que reunieron en el Patio del Belvedere restos de esculturas clásicas. Pero sólo en el siglo XVIII se alcanzó una sistematización racional bajo los pontificados de Clemente XIV y Pío VI y en el siglo sucesivo bajo Pío VII que eligió a Antonio Canova para llevar a cabo un plan orgánico de sistematización.

Pinacoteca Vaticana - Giotto - Martirio di S. Paolo
Vatican Picture-Gallery - Giotto - Martyrdom of S. Paul
Vatikan-Pinakothek - Giotto - Martyrium des heiligen Paul
Pinacothèque Vaticane - Giotto - Martyre de S. Paul
Pinacoteca Vaticana - Giotto - Martirio de San Pablo

Pinacoteca Vaticana - Giotto - Il Redentore
Vatican Picture-Gallery - Giotto - The Redeemer
Vatikan-Pinakothek - Giotto - Der Erlöser
Pinacothèque Vaticane - Giotto - Le Rédempteur
Pinacoteca Vaticana - Giotto - El Redentor

Pinacoteca Vaticana - Carlo Crivelli - La Vergine col Bambino
Vatican Picture-Gallery - Carlo Crivelli - The holy Virgin with Child
Vatikan-Pinakotek - Carlo Crivelli - Heilige Jungfrau mit Kind
Pinacothèque Vaticane - Carlo Crivelli - La S. Vierge avec l'Enfant
Pinacoteca Vaticana - Carlo Crivelli - Virgen con el Niño

San Pietro e Castel Sant'Angelo
St. Peter and Castle S. Angel
Skt. Peter und Engelsburg
Saint Pierre et Château S. Ange
San Pedro y Castillo del Santo Angel

19

Castel Sant'Angelo
Castle S. Angel
Engelsburg
Château S. Ange
Castillo del Santo Angel

CASTEL SANT'ANGELO

Castel Sant'Angelo (Mausoleo di Adriano) è una maestosa costruzione circolare iniziata da Adriano nel 130 e terminata dieci anni dopo da Antonino Pio. Dopo Aureliano fu trasformata in fortezza collegata alle mura della nuova cinta di difesa. L'attuale struttura visibile dall'esterno ricalca quella del monumento originario, e il nucleo posto fra i torrioni d'angolo è tutt'ora formato dal muro romano a blocchi di pietra. Il torrione superiore sulla cui terrazza sovrasta l'angelo con la spada, costituiva il basamento del fastigio terminale dove si innalzava la statua dell'imperatore.

The Sant'Angelo Castle (Hadrian's Mausoleum) is an imposing circular building started by Hadrian in A.D. 130 and completed ten years later under Antoninus Pius. After Aurelian it was converted to a fortress connected to the walls of the new protective fortifications. The present structure, visible from the outside, is patterned after that of the original monument and the core located between the corner towers is still formed by the Roman stone-block wall. The upper tower on the top terrace of which stands the Angel with the sword, formed the basement of the apex, where stood the Emperor's statue.

Die Engelsburg (das Mausoleum des Kaisers Hadrian) ist ein majestätischer Rundbau, im Jahre 130 von Hadrian begonnen und 10 Jahre später vom Kaiser Antoninus Pius vollendet. Nach dem Tode des Kaisers Aurelian (275) wurde das Mausoleum in eine Festung verwandelt und mit den Mauern eines neuen Verteidigungsgürtels verbunden. Der gegenwärtige Bau entspricht von aussen gesehen der ursprünglichen Anlage, und den Kern zwischen den Ecktürmen bilden immer noch die römischen Steinquadern. Über dem mittleren Turm, auf dessen Terrasse jetzt der Engel mit dem Schwert wacht, stand einst die Statue des Kaisers.

Le Château St. Ange (Mausolée d'Adrien) est une imposante construction circulaire amorcée par Adrien en 130 et terminée dix ans plus tard par Antonin le Pieux. Après Aurelien le Mausolée fut transformé en forteresse reliée aux murs de la nouvelle enceinte de défense. La structure actuelle visible de l'extérieur reproduit la forme du monument original, la partie situé entre les donjons de coins est encore constituée par le mur romain en blocs de pierre. Le donjon supérieur, sur la terrasse duquel domine l'ange avec l'épée, constituait le soubassement du faîte terminal où la statue de l'empereur s'élevait.

El Castillo del Santo Angelo (Mausoleo de Adriano) es una majestuosa construcción circular empezada por Adriano en 130 y terminada diez años después por Antonino Pio. Después de Aureliano se transformó en fortaleza enlazasa a las murallas de la nueva cintura de defensa. La actual estructura visible desde el exterior reproduce la del monumento original, y el núcleo puesto entre los torreones laterales está todavía formado por el muro romano de bloques de piedra. El torreón superior desde cuya terraza domina el ángel con la espada, constituía la base del apogeo terminal donde se levantaba la estatua del emperador.

Veduta aerea di Castel Sant'Angelo
View from the airplane of Castel Sant'Angelo
Luftaufnahme von Castel Sant'Angelo
Vue de l'avion de Castel Sant'Angelo
Vista aérea del Castel Sant'Angelo

Il Pantheon
The Pantheon
Das Pantheon
Le Panthéon
El Pantheón

24

Traiano e Monumento
ttorio Emanuele II

m of Trajanus and
ument to Victor
nanuel II

m des Trajan und
kmal des Viktor
nanuel II.

m de Trajan et
ument à Victor
nanuel II

Trajano y Monumento
ctor Manuel II

Il Colosseo
The Colosseum
Das Kolosseum
Le Colisée
El Coliseo

IL COLOSSEO

Il Colosseo (Anfiteatro Flavio) la cui costruzione fu iniziata da Vespasiano nel 72 e terminata dal figlio Tito nell'anno 80 è il monumento più rappresentativo della grandiosità e della potenza romana. Restaurato nel V sec. dopo un terremoto, trasformato in fortezza nel XIII sec. dai Frangipane, divenne nei secoli XV e XVI una cava di materiale per le nuove costruzioni raggiungendo così il culmine della rovina.
Infine Benedetto XIV (1740-58) lo dichiarò luogo sacro per la tradizione, allora accettata, di essere stato teatro di martirio dei primi cristiani.

The Colosseum (Flavian Amphitheater), whose construction was started under Vespasian in A.D. 72 and completed under his son Titus in 80, is the monument which best reflects the greatness and power of Rome. Restored in the V Century after an earthquake, turned into a fortress in the XIII Century by the Frangipanes, it sank to the worst state of decay in the XV and XVI Centuries when it was turned into a quarry of building materials. Finally, Pope Benedict XIV (1740-58) declared it a sacred place because of the tradition, then accepted, that it had been the scene of the martyrdom of the early Christians.

Das Kolosseum oder Flavische Amphitheater, unter Kaiser Vespasian im Jahre 72 begonnen und von seinem Sohn Titus acht Jahre später vollendet, ist das repräsentativste Monument der Grösse und Macht Roms. Es wurde im 5. Jahrhundert nach einem Erdbeben wiederhergestellt, im 13. Jahrhundert von den Frangipani in eine Festung verwandelt und diente im 15. und 16. Jahrhundert als Steinbruch, der Material für neue Bauten in der Stadt lieferte. Damit erreichte der Verfall des gewaltigen Bauwerks seinen Höhepunkt. Angesichts der Überlieferung, das Amphitheater sei der Schauplatz des Martyriums der ersten Christen gewesen, erklärte Papst Benedikt XIV. (1740-58) das Kolosseum zur geheiligten Stätte.

Le Colisée (Amphithéâtre Flavien), dont la construction fut commencée en 72 par Vespasien et terminée en 80 par son fils Titus, est le monument le plus représentatif de la puissance et de la grandeur de Rome. Restauré au Ve siècle après un tremblement de terre, transformé en forteresse au XIIIe siècle par la famille Frangipane, le Colisée devint pendant les XVe et XVIe siècles une carrière de matériaux pour les nouvelles constructions, touchant ainsi le fond de sa ruine. Benoît XIV (1740-58) le déclara finalement lieu sacré parce qu'à l'époque on croyait à la tradition selon laquelle ce monument aurait été le théâtre du martyre des premiers Chrétiens.

El Coliseo (Anfiteatro Flavio) cuya construcción fue empezada por Vespasiano en el 72 y terminada por el hijo Tito en el 80, es el monumento más representativo de la grandiosidad y de la potencia romana. Restaurado en el siglo V tras un terremoto, transformado en fortaleza en el siglo XIII por los Frangipane, pasó a ser en los siglos XV y XVI una cantera para las nuevas construcciones alcanzando así el máximo de la ruina.
Finalmente Benedicto XIV (1740-58) lo declaró lugar sacro debido a que, según la tradición entonces aceptada, hubiera sido teatro de martirio de los primeros cristianos.

Il Colosseo dall'aereo
The Colosseum from the airplane
Das Kolosseum aus Flugzeug
Le Colisée de l'avion
El Coliseo desde el avión

Foro Romano
Roman Forum
Romisches Forum
Forum Romain
El Foro Romano

FORO ROMANO

Foro Romano, in origine una zona paludosa tra le alture del Campidoglio, della Velia, dell'Esquilino, del Celio e del Palatino, segnava il punto d'incontro per gli scambi mercantili, fra le varie popolazioni occupanti le alture. Fuse queste popolazioni in un unico organismo, costituì in questo fondo valle una grande piazza per il mercato, per le riunioni politiche e per l'esercizio dei culti comuni. Cosicché il Foro, difeso dalla rocca Capitolina, formò il centro di Roma. Con Cesare ed Augusto il centro assunse un vero carattere monumentale che conservò fino all'apogeo imperiale.

The Roman Forum, originally a marshy area located amidst the Capitoline, Velia, Esquiline, Celium and Palatine Hills, was a meeting point for trading among the populations living on the heigths. Once these people merged into a single body, there was built in this valley a great square used as a marketplace as well as a place for political rallies and religious worship. Thus the Forum, protected by the Capitoline Citadel, formed the center of Rome. Under Caesar and Augustus the Forum assumed a true monumental character, which it retained till the apogee of the Empire.

Das Forum Romanum, ursprünglich ein sumpfiges Gelände zwischen Hügeln — Kapitol, Velia, Esquilin, Caelius und Palatin — diente den verschiedenen auf den Hügeln wohnenden Bevölkerungsgruppen als Treffpunkt zum Warenaustausch. Als sie sich zusammenschlossen, wurde aus der Niederung ein grosser Platz für Markt, Gottesdienst und politische Versammlungen. So bildete das vom Kapitolshügel geschützte Forum den Mittelpunkt Roms. Caesar und Augustus gaben ihm wahrhaft monumentales Gepräge, das während der Blüte der Kaiserzeit erhalten blieb.

Le Forum Romain, qui était à l'origine une zone marécageuse délimitée par les collines du Capitole, de la Velia, de l'Esquilin, du Célius et du Palatin constituait le point de rencontre pour les échanges commerciaux entre les populations qui habitaient les collines. Après la fusion de ces populations dans un seul organisme, une grande place pour le marché, les réunions politiques et l'exercice des cultes communs fut construite dans le fond de la vallée. Le Forum, protégé par la citadelle du Capitole, forma donc le centre de Rome. Sous César et Auguste le centre prit un véritable caractère monumental qu'il garda jusqu'à l'apogée de l'Empire.

Foro Romano, originariamente un lodazal entre las alturas del Capitolio, de la Velia, del Esquilino, del Celio y del Palatino, indicaba el punto de encuentro para los intercambios mercantiles entre las diversas poblaciones que vivían en las alturas. Cuando estas poblaciones se fundieron en un organismo único, se constituyó en este valle una enorme plaza para el mercado, para las reuniones políticas y para el ejercicio de los cultos comunes. Así que el Foro, defendido por la Roca capitolina, formó el centro de Roma. Con César y Augusto asumió el centro el verdadero carácter monumental que conservó hasta el apogeo imperial.

Foro Romano - Arco di Tito e Via Sacra
Roman Forum - Arc of Tito and Sacra Street
Das Romische Forum - Bogen von Tito und Sacra Strasse
Le Forum Romain Arc de Tito et Rue Sacra
Foro Romano - Arco de Tito y Vía Sacra

Arco di Costantino
Arc of Constantine
Konstantinsbogen
Arc de Constantin
Arco de Constantino

Romano
pio dei Castori

an Forum
ple of Castor

isches Forum
pel des Kastor

m Romain
ple de Castor

Romano
pio de Cástor y Pólux

33

SAN GIOVANNI IN LATERANO

La Basilica di San Giovanni in Laterano è la chiesa madre del mondo cattolico. Fondata 315 da papa Melchiade dopo la donazione di Costantino della casa dei Laterani, fu varie v ricostruita e trasformata, finché nel secolo XVII, in occasione del Giubileo del 1650, Ir cenzo X incaricò il Borromini del restauro totale. La facciata orientale, che è la princip fu eseguita, sotto Clemente XII dal Galilei.

The Basilica of St. John Lateran's is the mother church of the Roman Catholic world. Foun in 315 by Pope Melchiade after Constantine's donation of the Lateran House, it was at vari times rebuilt and converted, till in the XVII Century, on the occasion of the Jubilee of 16 Pope Innocent X commissioned Borromini to carry out a total restoration. The eastern main facade was built by Galilei under Clemens XII.

Die Lateranbasilika (St. Johannes im Lateran), Kirche des Papstes als Bischof von Rom, die Mutterkirche der katholischen Welt. Sie wurde 315 von Papst Melchiades gegründet, na dem Kaiser Konstantin der Grosse ihm das Haus der Familie der Laterani geschenkt ha Mehrmals umgebaut, wurde die Kirche schliesslich anlässlich des Heiligen Jahres 1650 ur Papst Innozens X. von Francesco Borromini völlig restauriert. Die östliche Hauptfassade wu unter Papst Klemens XII. (1730-40) von A. Galilei ausgeführt.

La Basilique de St. Jean-de-Latran est l'église-mère du monde catholique. Elle fut fondée 315 par le Pape Melchiade après la donation de la maison des Latrans faite par Constan par la suite elle fut plusieurs fois reconstruite et transformée. Pendant le XVIIe siècle l'occasion du Jubilé de 1650, Innocent X chargea Borromini de la restaurer intièrement. façade orientale, qui est la principale, fut réalisée par Galilée, pendant le Pontificat Clément XII.

La Basílica de San Juan de Letrán es la iglesias madre del mundo católico. Fundada en el por el Papa Melquiades, tras la donación de la casa de los Letrán, ha sido varias veces construída y transformada, hasta cuando en el siglo XVII, con ocasión del Jubileo de 1 Inocencio X le encargó a Borromini la restauración total. La fachada oriental, que es la pr pal, fue realizada bajo Clemente VII, por Galilei.

La Scala Santa
The Saint Staircase
Die heilige Stiege
La Saint Escalier
La Escalera Santa

▶

Basilica di S. Giovanni in Laterano
The Basilica of St. John Lateran
Basilika des Hl. Johannes in Latera
Basilique de St. Jean de Latran
Basilica de San Juan de Letrán

IL MOSE'

Basilica di S. Pietro in Vincoli - Interno
St. Peter in Vincoli Basilica - Interior
Skt. Peter in Vincoli Basilika - Inneres
Basilique de S. Pierre in Vincoli - Intérieur
Basilica de Pedro in Vincoli - Interior

Il «Mosè», eseguito per il secondo progetto della tomba di Giulio II, fu portato a buon punto nel 1513, per essere terminato definitivamente solo nel 1545, al momento di sistemare la tomba in S. Pietro in Vincoli. La statua riprende in scultura il motivo dei «Profeti» affrescati alla Sistina, con un'impostazione architettonica di contrapposizione di masse. Da tale dinamismo e dall'intenso plasticismo si sprigiona un'impetuosa energia ed una solenne severità espressiva del volto del vegliardo. La statua fu celebre fin dalla sua esecuzione e copiata o studiata da vari artisti famosi tra cui lo stesso Leonardo e il Veronese.

The « Moses », executed for the revised version of Pope Julius II's tomb, was already in an advanced stage in 1513 but was finally completed only in 1545, at the time when the tomb was erected in the Church of San Pietro in Vincoli. The statue takes up in sculpted form the motif of the « Prophets » painted in the Sistine Chapel, with an architectural pattern of opposing masses. From this dynamic approach and from the marked plastic treatment spring an impetuous force and solem expressive severity of the old man's face. The statue was famous from the very beginning and was copied or studied by several famous artists, including Leonardo himself and the Veronese.

Michelangelos Arbeit an der Mosesstatue, als Teil seines zweiten Entwurfs für das Grabmal Julius' II. war beim Tode des Papstes im Jahre 1513 weit fortgeschritten; sie wurde aber erst 1545 vollendet und in der Kirche St. Peter in Ketten (San Pietro in Vincoli) aufgestellt. Die Figur ist in ihrer Gestaltung Michelangelos Propheten-Fresken in der Sixtinischen Kapelle im Vatikan verwandt. Ihrer intensiven Plastizität entspringt gewaltige Energie, während das Greisengesicht feierliche Strenge ausdrückt. Die Statue wurde sofort berühmt und von verschiedenen Künstlern kopiert oder studiert, darunter sogar von Leonardo da Vinci und Paolo Veronese.

Le « Moïse » fut exécuté pour le deuxième projet de la tombe de Jules II.
Sa réalisation était à bon point en 1513 mais il fut définitivement terminé seulement en 1545, au moment de placer la tombe dans l'église de St. Pierre-de-Liens. La statue reprend en sculpture le motif des « Prophètes » peints à fresque dans la Chapelle Sixtine, avec une conception architecturale d'opposition de masses.
De ce dynamisme et de l'intense beauté plastique se dégagent une impétueuse énergie et une solennelle sévérité expressive du visage du vieux.
La statue, célèbre dès son exécution, fut copiée et étudiée par plusieurs grands artistes, parmi lesquels le Véronèse et Léonard même.

El « Mosé » realizado para el segundo proyecto de la tumba de Julio II, fue casi terminado en 1513, pero sólo en 1545 se pudo ver acabado completamente y ser colocado junto a la tumba en San Pedro in Vincoli. La estatua reproduce en escultura el pintura de los « Profetas » afrescado en la Sixtina, con una impostación arquitectónica de contraposición de masa. De dicgo dinamismo y del intenso plasticismo estalla una impetuosa energía y una solemne severidad expresiva de la cara del viejo. La estatua fue celebre desde su primera ejecución y copiada o estudiada por distintos artistas famosos entre los cuales el mismo Leonardo y el Veronese.

Chiesa di S. Pietro in Vincoli - Il Mosé di Michelangelo
Church of S. Peter in Vincoli - The Moses of Michael Angelo
Kirche des heiligen Petrus in Vincoli - Der Moses des Michelangelo
Eglise de S. Pierre in Vincoli - Le Möise de Michelange
Iglesias de San Pedro in Vincoli - El Moises de Michelangelo

Chiesa di S. Pietro in Vincoli « Particolare del Mosé »
Church of S. Peter in Vincoli « Detail of the Moses »
Kirche des heiligen Petrus in Vincoli « Ausschnitt des Moses »
Eglise de S. Pierre in Vincoli « Détail du Moïse »
38   *Iglesias de San Pedro in Vincoli - « Particular del Moises »*

LA FONTANA DI TREVI

La Fontana di Trevi trae il suo nome dai trivio delle confluenti strade sulla piazza. Opera di Nicola Salvi, iniziata sotto Clemente XII, fu terminata nel 1762. Il motivo architettonico centrale è costituito dal grande nicchione ricavato dalla facciata del palazzo dei Duchi di Poli, e dove è situato il colossale Nettuno trascinato su di un cocchio a conchiglia da due cavalli marini con tritoni di guida, opera scultorea di P. Bracci. L'elemento vitale è costituito però all'acqua che, scendendo in cascatelle e zampilli, anima fragorosamente l'imponente monumento, felice fusione architettonica-scultorea e conclusivo capolavoro del Barocco Romano.

The Trevi Fountain takes its name from the three streets converging on the square. Designed by Nicola Salvi, it was started under Pope Clemens XII and completed in 1762. The key architectural motif is formed by the large niche recessed into the facade of the Palace of the Dukes of Poli, housing the colossal Neptune riding on a shell-shaped coach pulled by two sea horses led by Tritons, sculpted by P. Bracci. The vital element, however, is water which, descending in cascades and jets, noisily enlivens this impressive monument, a happy combination of architecture and statuary, the definitive masterpiece of Roman Baroque.

Der Trevi-Brunnen — nach Trivium oder Kreuzungspunkt dreier Strassen, die in den Platz davor einmünden — ist ein Werk Nicola Salvis. Er wurde unter Papst Klemens XII. (1730-40) begonnen und 1762 vollendet. Das architektonische Mittelstück bildet eine grosse Nische an der Stirnseite des Palasts der Herzöge von Poli mit einem riesigen Neptun auf einem Muschelwagen, der von zwei Seepferden gezogen und von Tritonen geleitet wird. Die Gruppe ist ein Werk des Bildhauers P. Bracci. Das eigentliche Lebenselement ist jedoch das Wasser, das in Kaskaden und Strahlen über Stufen und Steinblöcke ins grosse Becken rauscht. Der Brunnen ist eine eindrucksvolle Verbindung von Motiven der Architektur und Skulptur und eines der letzten Meisterwerke des römischen Barocks.

La Fontaine de Trévi doit son nom au fait qu'elle se trouve sur une place, à la confluence de trois rues. Elle est l'œuvre de Nicolas Salvi et sa construction fut amorcée sous le Pape Clément XII et terminée en 1762. Le motif architectural central est constitué par la grande niche dans la façade du palais des Ducs de Poli. Dans la niche est installée une statue colossale, sculptée par P. Bracci, qui représente Neptune sur un coche en forme de coquillage conduit par des tritons et traîné par deux chevaux marins. L'élément vital est toutefois constitué par l'eau qui descend en jets et petites cascades, animant ainsi avec son bruit l'imposant monument, heureuse fusion de sculpture et architecture, chef-d'œuvre du Baroque Romain.

La Fontana di Trevi se llama así debido a la confluencia de tres calles que desembocan en la plaza. Obra de Nicola Salvi, empezada bajo Clemente XII, fue llevada a cabo en 1762. El tema arquitectónico central está constituido por un nicho grande empotrado en la fachada del palacio de los Duques di Poli y en él se halla el colosal Neptuno arrastrado sobre un coche lujoso forma de concha por dos caballos marinos guiados por tritones, obra del escultor P. Bracci. El elemento vital en cambio está constituido por el agua que, bajando en chorros y cascadas, anima ruidosamente el gigantesco monumento, féliz fusión arquitectónico-escultórica y obra exhaustiva del Barroco Romano.

Fontana di Trevi
Fountain of Trevi
Trevi Brunnen
Fontaine de Trevi
Fuente de Trevi

Fontana di Trevi
Fountain of Trevi
Trevi Brunnen
Fontaine de Trevi
Fuente de Trevi

Trinità dei Monti - Mostra delle Azalee
Trinità dei Monti - Azaleas Show
Trinità dei Monti - Azaleen-Ausstellung
Trinità dei Monti - Exposition des Azalées
Trinità dei Monti - Exposición de Ázaleas

41

PIAZZA DI SPAGNA

La gradinata di Piazza di Spagna, questo squisito modello del rococò romano, è opera di Alessandro Specchi e Fr. De Sanctis (1720-25) per munifico lascito dell'ambasciatore francese Stephane Gouffier. Salita la gradinata si arriva alla Piazza della Trinità dei Monti, dalla cui balaustra si gode il panorama della scalinata, della Piazza di Spagna coll'originale « Barcaccia », fontana ideata ed eseguita da Pietro Bernini, padre del famoso Gian Lorenzo.

The Spanish Steps, this exquisite specimen of Roman Rococo, was designed by Alessandro Specchi and Fr. De Sanctis and built (1720-25) with funds generously bequeathed by French Ambassador Stephane Gouffier. At the top of the Steps lies the square of Trinità dei Monti (Trinity of the Mountains), affording from its banisters a fine view of the Steps and of the Piazza di Spagna (Spanish Square), with the original « Barcaccia », a fountain designed and sculpted by Pietro Bernini, the famous Gian Lorenzo's father.

Die Spanische Treppe, eine Glanzleistung des römischen Barocks, ist ein Werk von Alessandro Specchi und Francesco De Sanctis (1720-25), erbaut dank einem grosszügigen Legat des französischen Botschafters Stephane Gouffier. Die Stufen führen hinauf zum Platz vor der Dreifaltigkeitskirche auf dem Hügel (Trinità dei Monti). Von der oberen Brüstung gleitet der Blick hinunter über die majestätische Treppe auf den Spanischen Platz mit der originellen « Barcaccia » (Kahn), einem Brunnen entworfen und ausgeführt von Pietro Bernini, dem Vater des berühmten Gian Lorenzo.

L'Escalier de la Place d'Espagne, modèle exquis du Rococo Romain, fut conçu par Alessandro Specchi et Fr. de Sanctis (1720-25) et sa construction fut financée par una legs généreux de l'ambassadeur de France Stéphane Gouffier. En montant l'Escalier on arrive à la Place de la Trinité des Monts; ed la balustrade de cette place on peut admirer le panorama offert par l'Escalier, la Place d'Espagne avec l'originale fontaine de « La Barcaccia », conçue et réalisée par Pietro Bernini, père du célèbre Gian Lorenzo.

La escalera de la Plaza de España, este esquisito modelo de la arquitectura rococo romana, obra de Alessandro Specchi y Fr. De Sanctis (1720-25) por donación generosa del embajador francés Stephane Gouffier. Subiendo la escalera se llega a la Plaza de la Trinidad de los Montes, desde cuya barandilla se disfruta el panorama de la escalinata, de la Plaza de España con la original fuente « La Barcaccia », proyectada y realizada por Pietro Bernini, padre del famoso Gian Lorenzo.

◄

Trinità dei Monti
Trinità dei Monti
Trinità dei Monti
Trinità dei Monti
Trinità dei Monti

Piazza della Repubblica - Fontana delle Najadi (Rutelli)
Square of the Republic - Fountain of Naiads (Rutelli)
Platz der Republik - Najadenbrunnen (Rutelli)
Place de la République - Fontaine des Naïades (Rutelli)
Piazza della Repubblica - Fuente de las Nayades (Rutelli)

Basilica di S. Maria Maggiore
The Basilica of St. Mary Major
Die Basilika St. Maria Maggiore
Basilique de S.te Marie Majeure
Basilica de Santa María La Mayor

SANTA MARIA MAGGIORE

La Basilica di Santa Maria Maggiore, la quarta delle basiliche patriarcali di Roma, è detta anche Liberiana, perché secondo una leggenda sarebbe stata costruita sull'antica chiesa di Papa Liberio, nel punto indicatogli da una miracolosa visione. Il dato storico più sicuro è quello che stabilisce l'anno 433 come data della sua fondazione ad opera di Sisto III. Al completamento esterno collaborarono vari architetti (F. Ponzio, C. Rainaldi, D. Fontana, F. Fuga). L'interno basilicale suscita un aspetto più armonioso ed è ravvivato dalle importanti decorazioni, dai mosaici paretali e dall'arcone, del tempo di Sisto III, al mosaico absidale di J. Torriti (1295).

The Basilica of St. Mary the Greater, the fourth of Rome's Patriarchal Basilicas, is also called Liberian, for according to one legend it was built over the ancient Church of Pope Liberius, erected on the spot pointed out to him by a miraculous vision. The most reliable historical information is that its construction was started in A.D. 433 under Pope Sixtus III. Various architects (F. Ponzio, C. Rainaldi, D. Fontana, F. Fuga) worked on its external completion. The interior of the Basilica presents a more harmonious appearance, enlivened by major decorative work, by the mosaics on the walls and triumphal arch from the time of Sixtus III and by J. Torriti's mosaic in the apse (1295).

Die Grosse Marienkirche (Santa Maria Maggiore), eine der vier patriarchalischen Basiliken Roms (die anderen: Laterankirche St. Johannes, Peterskirche im Vatikan und Paulskirche ausserhalb der Stadtmauer), wird auch Liberianische Basilika genannt, weil sie auf der Stelle steht, wo der Überlieferung nach Papst Liberius (352-366) aufgrund einer wunderbaren Vision eine Kirche errichtet hatte. Die sicherste Zeitangabe für die Gründung der heutigen Kirche ist das Jahr 433 unter Sixtus III. An der Vollendung des Aussenbaus arbeiteten später mehrere Architekten (F. Ponzio, C. Rainaldi, D. Fontana und F. Fuga). Der Innenraum macht einen harmonischeren Eindruck und wird durch bedeutende Mosaiken belebt — an den Seitenwänden und am Triumphbogen aus der Zeit Sixtus' III. und in der Apsis von J. Torriti (1295).

La Basilique de Ste-Marie-Majeure, quatrième des basiliques patriarcales de Rome, est nommée également « Liberiana » parce que, d'après une légende, elle aurait été construite sur l'emplacement de l'ancienne église du Pape Libère à l'endroit que une merveilleuse vision lui indiqua. La donnée historique la plus sûre est celle qui indique l'an 433 comme date de sa fondation par Sixte III. Plusieures architectes (P. Ponzio, C. Rainaldi, D. Fontana, F. Fuga) contribuèrent à l'achèvement de son extérieur. L'intérieur de la Basilique, plus harmonieux, est ravivé par d'importantes décorations, des mosaïques murales, un arc triomphal de l'époque de Sixte III et une mosaïque absidale, oeuvre de J. Torriti (1295).

La Basílica de Santa María La Mayor, la cuarta de las basílicas patriarcales de Roma, llamada también Liberiana, porque según una leyenda fue construida sobre la antigua iglesia del Papa Liberio, en el lugar que le había señalado una aparición milagrosa. El dato histórico más seguro es el que establece el año 433 como fecha de su fundación por obra de Sixto III. En la finalización externa colaboraron varios arquitectos (F. Ponziom C. Rainaldi, D. Fontana, F. Fuga). El interior de la basílica presenta un aspecto más armonioso, animado por vistosas decoraciones, por los mosaicos de las paredes y por el arcón de Sixto III; el mosaico absidal es de J. Torriti (1295).

Basilica di Santa Maria Maggiore - Navata Centrale
Basilica of S. Mary Major - Central Aisle
Basilika S. Maria Maggiore - Mittelschiff
Basilique de S. Marie Majeure - Nef Centrale
Basilica de Santa Maria La Mayor - Nave central

Basilica di S. Maria
Maggiore - Mosaico
Facciata - Cristo in T

Basilica of S. Mary M
Mosaic of the front
Christ upon the thron

Basilika S. Maria Mag
giore - Mosaik der Fa
sade - Tronender Chri

Basilique de S. Marie
Majeure - Mosaïque c
façade - Christ sur le
Trône

Basilica de Santa Ma
La Mayor - Mosaico
fachada - Cristo en e

npietto d'Esculapio a
a Borghese

all Temple of Esculape
« Villa Borghese »

ine Tempel des Eskulap
« Villa Borghese »

it Temple d'Esculape
Villa Borghese »

nplete de Esculapio en
a Borghese

Raffaello - Deposizione
Raffaello - Entrombment
Raffaello - Kreuzabnahme
Raffaello - Déposition
Raffaello - Deposicion

GALLERIA BORGHESE

La Galleria Borghese è accolta nell'omonimo Palazzetto, fatto costruire dal Cardinal Scipione Borghese, all'inizio del 600, dall'architetto olandese Giovanni Vasanzio. In or gine le collezioni d'arte, iniziate dal medesimo Cardinale, furono sistemate nella su detta costruzione. Successivamente la maggior parte dei quadri fu spostata nel palazz Borghese di città, mentre la raccolta di sculture, conservata sempre nella sede orig naria, subì una grave menomazione all'epoca dell'Impero Napoleonico, per una cession fatta da Camillo Borghese. L'attuale Galleria, riunita infine nel 1891 ed acquistata dall Stato Italiano nel 1902 ha mantenuto il nome del Cardinale fondatore e costituisc una delle più notevoli collezioni di formazione privata ricca di opere di artisti famos quali Bernini, Canova, Caravaggio, Correggio, Rubens, Tiziano, Veronese, ecc.

The Borghese Gallery is housed in the building (Palazzetto Borghese) which Cardin Scipione Borghese had built, early in the XVII Century, by Dutch Architect Giovan Vasanzio. Initially the art collections assembled by the Cardinal were housed her Later most of the paintings were moved to the downtown Borghese Palace, while th statuary collection, which was left in its original location, suffered a serious curtai ment at the time of the Napoleonic Empire through a sale made by Camillo Borghes The present Gallery, finally assembled in 1891 and purchased by the Italian Governme in 1902, has retained the name of the founding Cardinal and is still one of the riche privately-assembled art collections, with many works by famous artists, such as Bernir Canova, Caravaggio, Correggio, Rubens, Titian, Veronese, etc.

Das Borghese-Museum befindet sich im gleichnamigen kleinen Palais, das Kardin Scipione Borghese Anfang des 17. Jahrhunderts vom holländischen Architekten Jan va Santen errichten liess. Zuerst war die vom Kardinal angelegte Kunstsammlung in di sem Gebäude untergebracht. Später wanderten die meisten Bilder ins grosse Stadtpala der Borghese. Die Skulpturensammlung, die am ursprünglichen Ort geblieben war, erl während des napoleonischen Kaiserreiches einen schweren Verlust, als Fürst Camil Borghese, der Gatte von Napoleons Schwester Pauline, sich einer Anzahl von Kuns werken entäusserte. Das gegenwärtige Museum, dessen Sammlungen 1891 wiedervere nigt und 1902 vom italienischen Staat erworben wurden, hat den Namen des Gründe beibehalten und bildet heute eine der bedeutendsten Sammlungen privaten Ursprung Es enthält Werke berühmter Meister — Bernini, Canova, Caravaggio, Correggio, Ruben Tizian, Veronese u.a.

La Galerie Borghèse se trouve dans le « Palazzetto Borghèse » que le Cardinal Scipic Borghèse fit construire au début du XVIIe siècle par l'architecte hollandais Giovan Vasanzio. A l'origine les collections d'art commencées par le Cardinal furent placée dans cet immeuble. Par la suite la plupart des tableaux furent transportés dans le Pala Borghèse en ville tandis que la collection de sculptures, qui avait été laissée dans l siège original, fut dépouillée d'une grande partie de ses œuvres à l'époque de l'Er pire Napoléonien à cause d'une cession faite par Camille Borghèse. La Galerie actuell rassemblée enfin en 1891 et achetée par l'Etat Italien en 1902, a gardé le nom d Cardinal qui la fonda et constitue encore à l'heure actuelle une des plus importante collections anciennement privées. Elle comprend un grand nombre d'œuvres d'artiste célèbres, tels que le Bernin, Canova, Caravaggio, Correggio, Rubens, le Titien, Ver nèse, etc.

La Galería Borghese se halla situada en el homónimo Palacete, que mandó construir Cardenal Escipión Borghese, a comienzos del siglo VII, por el arquitecto holand Giovanni Vasancio. En un primer momento las colecciones de arte, iniciadas por Cardenal fueron colocadas en dicha construcción. Posteriormente la mayoría de l cuadros fue trasladada al palacio Borghese de la ciudad, mientras que la colección escrituras, dejada en la primitiva sede sufrió graves daños en la época del Impe napoleónico, por una cesión hecha por Camillo Borghese. La actual Galería, reunida p fin en 1891 y comprada por el Estado italiano en 1902 ha conservado el nombre Cardenal fundador y constituye una de las más importantes colecciones de formaci privada, que cuenta con obras de artistas famosos como Bernini, Canova, Caravagg Correggio, Rubens, Tiziano, Veronese, etc.

o di Credi - Madonna col Bambino e S. Giovannino
o di Credi - The Virgin Mary with the infant Jesus and the child St. John
o di Credi - Muttergottes mit dem Jesuskind und dem klein Skt. Johannes
o di Credi - Madonne avec l'Enfant et le petit St. Jean
o di Credi - Virgen con el Niño y San Juan

Caravaggio - Giovane con il canestro di frutta
Caravaggio - Young man with fruits basket
Caravaggio - Jüngling mit Obstkorb
Caravaggio - Jouvenceau avec corbelle de fruits
Caravaggio - Joven con el cesto de fruta

Galleria Borghese - Domenichino - La Sibilla
Galleria Borghese - Domenichino - The Sibyl
Galleria Borghese - Domenichino - Die Sibylle
Galleria Borghese - Domenichino - La Sibylle
Galleria Borghese - Domenico - La Sibila

Galleria Borghese - Raffaello - Ritratto di giovane donna con il Liocorno
Galleria Borghese - Raffaello - Portrait of a young women with the Unicorn
Galleria Borghese - Raffaello - Jugendliches weibliches Bildnis mit dem Einhorn
Galleria Borghese - Raffaello - Portrait de Jeune Femme avec l'Unicorne
Galleria Borghese - Raffaello - Retrato de Jovencita con el unicornio

Galleria Borghese - Sala I - Canova - Paolina Borghese
Galleria Borghese - I Hall - Canova - Paoline Borghese
Galleria Borghese - I. Saal - Canova - Pauline Borghese
Galleria Borghese - Salle I - Canova - Paoline Borghese
Galleria Borghese - Sala I - Canova - Paolina Borghese

Galleria Borghese - Giovanni Lorenzo Bernini - Apollo e Dafne
Galleria Borghese - Giovanni Lorenzo Bernini - Apollo and Daphne
Galleria Borghese - Giovanni Lorenzo Bernini - Apollo und Daphne
Galleria Borghese - Giovanni Lorenzo Bernini - Apollon et Daphane
Galleria Borghese - Giovanni Lorenzo Bernini - Apolo y Dafne

53

Galleria Borghese - Salone degli Imperatori - Giovanni Lorenzo Bernini - Ratto di Proserpina
Galleria Borghese - Emperors' Hall - Giovanni Lorenzo Bernini - Rape of Proserpina
Galleria Borghese - Kaiser Saal - Giovanni Lorenzo Bernini - Entführung der Proserpina
Galleria Borghese - Salle des Empereurs - Giovanni Lorenzo Bernini - Enlèvement de Proserpine
Galleria Borghese - Salón de los Emperadores - Giovan Lorenzo Bernini - Rapto de Proserpina

Galleria Borghese - Sala II - Giovanni Lorenzo Bernini - David
Galleria Borghese - II Hall - Giovanni Lorenzo Bernini - David
Galleria Borghese - II. Saal - Giovanni Lorenzo Bernini - David
Galleria Borghese - Salle II - Giovanni Lorenzo Bernini - David
Galleria Borghese - Sala II - Giovanni Lorenzo Bernini - David

Vla Vittorio Veneto
Vittorio Veneto Street
Vittorio Veneto Strasse
Rue Vittorio Veneto
Calle Vittorio Veneto

La Fontana del Tritone
(Bernini)

The Fountain of Triton
(Bernini)

Brunnen des Tritons
(Bernini)

La Fontaine du Triton
(Bernini)

La Fuente del Tritón
(Bernini)

56

ia Appia Antica
ncient Appian Road
lte Strasse des Appius
ncienne Route d'Appius
a Appia Antica

VIA APPIA ANTICA

La via Appia Antica, la più importante delle vie Consolari, fu costruita da Appio Claudi
Censore nel 312 a.C. per collegare Roma con Capua. Nel II secolo a.C. fu proseguita fino
Benevento e più tardi fino a Taranto. Lastricata di selci e fiancheggiata da tombe e monument
funerari essa fu detta anche « Regina Viarum ».

The Via Appia Antica (Old Appian Road), the most important of Rome's Consular Highways
was built in 312 B.C. by Appius Claudius the Censor to link Rome with Capua. In the I
Century B.C. it was extended to Benevento and later to Taranto. Paved with stone slabs an
flanked by tombs and funeral monuments, it was also « Regina Viarum » (Queen c
Roads).

Die Alte Appische Strasse (Via Appia Antica), die wichtigste der Konsularstrassen, wurde ir
Jahre 312 v. Chr. vom Zensor Appius Claudius angelegt, um Rom mit Capua zu verbinder
Im 2. Jahrhundert v. Chr. wurde sie bis Benevent und später bis Tarent verlängert. Gepflaster
und von Grabstätten und Grabdenkmälern flankiert, wurde sie auch « Königin der Strassen
(Regina Viarum) genannt.

La Voie Appienne, qui est la plus importante des Voies Consulaires, fut faite construire pa
Appius Claudius Censor en 312 av. J.-C. pour relier Rome à Capua. Pendant le IIᵉ siècle av
J.-C. elle fut prolongée jusqu'à Bénévent et plus tard jusqu'à Tarente.
Cette Voie, pavée de pierre et bordée de tombeaux et de monuments funèbres, fut nommé
aussi « Regina viarum ».

La Via Appia Antica, la más importante de las vías consulares, fue construída por Apio Claud
Censor en el 313 a.C. para enlazar Roma y Capua. En el siglo II a.C. fue continuada has
Benevento y posteriormente hasta Taranto. Empedrada con adoquines y flanqueada por tumb
y monumentos familiares fue llamada también « Regina Viarum ».

Tomba di Cecilia Metella
Grave of Cecilia Metella
Grab der Cecilia Metella
Tombe de Cécilia Metella
Tumba de Cecilia Metella

Basilica di S. Paoio - Esterno
The Basilica of St. Paul - Autside
Die Paul Kirche - Aussen
La Basilique de Saint Paul - Extérieur
Basilica de San Pablo - Exterior

Basilica di S. Paolo - Il Chiostro
Basilica of St. Paul - The Cloister
Basilika S. Paul - Der Kreuzgang
Basilique de S. Paul - La Cloître
Basilica de San Pablo - El claustro

Basilica di San Paolo - Interno
Basilica of S. Paul - Interior
Basilika S. Paul - Inneres
Basilique de S. Paul - Intérieur
Basilica de San Pablo - Interior

61

Basilica di San Paolo - Mosaico dell'Abside di Cristo Giudice
Basilica of S. Paul - Mosaic of Apsis of Judging Christ
Basilika S. Paul - Mosaik der Apsis von richtenden Christus
Basilique de S. Paul - Mosaïque de l'Abside de Christ qui Juge
Basilica de San Pablo - Mosaico del Abside con Cristo Juez

SAN PAOLO

San Paolo fuori le Mura, sino alla costruzione della basilica di San Pietro, era la più grande chiesa della Cristianità. Fondata da Costantino, che trasformò in Basilica l'antica « cella memoriae » dell'Apostolo, ingrandita da Valentiniano II (386) e da Teodosio, fu completata dal figlio di questi Onorio, primo Imperatore d'Occidente. Altri importanti abbellimenti ricevette da Sisto V (soffitto) e Benedetto XIII (portico). Un incendio improvviso, scoppiato nella notte dal 15 al 16 luglio 1823, la distrusse quasi intieramente. La ricostruzione iniziata da Leone XII fu diretta dagli architetti P. Belli, P. Bosio, P. Camporesi e L. Poletti, rispettando abbastanza fedelmente le forme originarie.

Before the completion of the St. Peter's Basilica, St. Paul's Outside the Walls had been the largest church in Christendom. Founded by Constantine, who turned into a Basilica the Apostle's ancient « cella memoriae », enlarged by Valentinian II (A.D. 386) and by Theodosius, is was completed by the latter's son Honorius, the first Emperor of the West. Other major improvements were introduced under Popes Sixtus V (the ceiling) and Benedict XIII (the porch). A sudden fire, in the night of July 15-16, 1823, destroyed it almost completely. The reconstruction project, started under Leo XII, was supervised by Architects P. Belli, P. Bosio, P. Camporesi and L. Poletti, duplicating fairly closely the original forms.

Die Paulsbasilika ausserhalb der Stadtmauer (San Paolo fuori le mura) war bis zum Bau der heutigen Peterskirche im Vatikan die grösste Kirche der Christenheit. Kaiser Konstantin der Grosse (306-337) liess sie über der Grabstätte (cella memoriae) des Apostels errichten. Unter den Kaisern Valentinian II. (386) und Theodosius erweitert, wurde sie von dessen Sohn, Honorius, dem ersten Kaiser des Weströmischen Reiches (395-423), vollendet. Bedeutende Verschönerungsarbeiten wurden unter Papst Sixtus V. (1585-90) (Decke) und Papst Benedikt XIII (1724-30) (Säulenvorhalle) ausgeführt. Ein plötzlicher Brand zerstörte die Kirche fast vollständig in der Nacht vom 15. zum 16. Juli 1823. Der von Papst Leo XII. (1823-29) angeordnete Wiederaufbau unter der Leitung der Architekten P. Belli, P. Bosio, P. Camporesi und L. Poletti hielt sich ziemlich genau an den ursprünglichen Bauplan.

Jusqu'à la construction de la Basilique de St. Pierre, St. Paul-Hors les Murs était la plus grande église de la Chrétienté.
Fondée par Constantin qui fit transformer en Basilique l'ancienne « cella memoriae » de l'Apôtre, cette église fut élargie par Valentinien II et par Théodose et terminée par le fils de ce dernier Honoré, premier Empereur de l'Occident. Par la suite elle reçut d'autres importants embellissements par Sixte V (plafond) et par Benoît XIII (portique).
Un incendie soudainement éclaté dans la nuit entre le 15 et le 16 juillet 1823 la détruit presque complètement. Sa reconstruction, commencée par Léon XII, fut dirigée par les architectes P. Belli, P. Bosio, P. Camporesi et L. Poletti qui respectèrent assez fidèlement la forme originale de l'ancienne Basilique.

San Pablo Extramueros, hasta la construcción de la Basílica de San Pedro, era la mayor Iglesia de la Cristiandad. Fundada por Constantino, que transformó en basílica la antigua « cèlla memoriae » del Apóstol, agrandada por Valentiniano II (386) y por Teodosio, fue completada por el hijo de este Onorio, primer emperador de Occidente. Otros embellecimientos importantes fueron realizados por Sixto V (techo) y Benedicto XIII (pórtico). Un incendio repentino, estallado en la noche del 15 al 16 julio de 1823, la destruyó casi completamente. La reconstrucción empezada por Léon XII fue dirigida por los arquitectos P. Belli, P. Bosio, P. Camporesi y L. Poletti, respetando con bastante fidelidad la forma primitiva.

Basilica di San Paolo - Abside di Cristo Giudice - Particolare
Basilica of S. Paul - Apsis of the Judging Christ - Detail
Basilika S. Paul - Apsis des richtenden Christus - Einzelheit
Basilique de S. Paul - Abside du Christ qui Juge - Détail
Basílica de San Pablo - Abside de Cristo Juez - Detalle

Basilica di San Paolo - Il Baldacchino dell'Altare Papale
Basilica of S. Paul - Canopy of the Papal Altar
Basilika S. Paul - Baldachin des päbstlichen Altars
Basilique de S. Paul - Dais de l'Autel Papale
Basilica de San Pablo - El Baldaquín del Altar Mayor

Candelabro per il Cero Pasquale (sec. XIII)
The Pascual Candlestick (13th cent.)
Osterkerzenleuchter (13. Jahrh.)
Candélabre du Cierge Pascal (XIII s.)
Candelabro para el Cirio Pascual (Siglo XIII)

Dettaglio del Candelabro Pasquale (sec. XIII)
Detail of the Pascual Candle (13th century)
Detail des Osterleuchters (13. Jhdt.)
Détail du Candélabre Pascal (XIII s.)
Detalle del Candelabro Pascual (siglo XIII)

Colonnine del Chiostro Cosmatesco (sec. XIII)
Columns of the Cosmatesque Cloister (13th century)
Saulchen des Kosmaten Kreuzgangs (13. Jhdt.)
Petites colomnes du cloître (XIII s.)
Columnitas del Claustro Cosmatesco (siglo XIII)

Fontana delle Tartarughe
Tortoise Fountain
Schildkröten Brunnen
Fontaine des Tortues
Fuente de las Tortugas

Fontana dell'acqua Paola in S. Pietro Montorio
Fountain of Paola water in St. Peter in Montorio
Brunnen des Paolawassers in Skt. Petrus in Montorio
Fontaine de l'eau Paola en St. Pierre in Montorio
Fuente del Agua Paola en San Pedro in Montorio

Piazza del Popolo
Square of the People
Volks Platz
Place du Peuple
Plaza del Pueblo

67

Piazza Navona
Navona Square
Navona Platz
Place Navona
Plaza Navona

IAZZA NAVONA

iazza Navona situata sull'antico circo di Domiziano, conserva la caratteristica forma elittica
 quanto delimitata dagli edifici sorti sui resti del detto monumento romano. Sede sino al
150 circa di feste popolari, giostre, pompe storiche, ecc. ricevette nel sec. XVII il suo
spetto definitivo, divenendo uno dei complessi barocchi più armoniosi della Roma seicen-
sca. A tale veste contribuirono in maniera determinante i due maggiori artisti del barocco
aliano G. L. Bernini e F. Borromini, autori rispettivamente della famosa fontana dei Quattro
umi e dell'originale completamento della Chiesa di S. Agnese in Agone.

ne Navona Square, located on the site of the ancient Domitian Circus, retains its charac-
ristic elliptical shape, being delimited by buildings erected on the remains of that Roman
onument. Used till around 1850 as the theater of popular festivals, jousts, historical pageants,
c., it assumed its final appearance in the XVII Century, becoming one of the most harmo-
ous Baroque settings in the Rome of that age. A major contribution to its appearance was
ade by two leading artists of the Italian baroque school, G. L. Bernini and F. Borromini,
e authors respectively of the famous Fountain of the Four Rivers and of the original comple-
on of the Church of St. Agnes in Agone.

er Navona-Platz hat die charakteristische Form des Stadions des Kaisers Domitian (81-96);
enn die den Platz umfassenden Häuser stehen auf Überresten der altrömischen Kampfspiel-
ahn. Bis 1850 fanden auf dem Platz Volksfeste, Turniere und historische Aufzüge statt. Im
'. Jahrhundert erhielt der Platz seine endgültige Gestalt, die ihn zu einer der harmonischsten
arockanlagen Roms gemacht hat. Entscheidend trugen dazu die beiden Hauptvertreter des
alienischen Barocks bei — Gian Lorenzo Bernini und Francesco Borromini. Bernini schuf
en bekannten Brunnen der vier Flüsse; von Borromini stammt die originelle Fassade der
irche St. Agnes am Kampfplatz (Sant'Agnese in Agone).

a Place Navona, située sur l'emplacement de l'ancien stade de Domitien, en garde la forme
liptique, étant délimitée par les bâtiments construits sur les restes de ce monument romain.
ette place, siège environ jusqu'à l'an 1850 de fêtes populaires, joutes, représentations his-
riques, etc. reçut son aspect définitif au cours du XVIIe siècle devenant ainsi un des en-
embles baroques plus harmonieux de la Rome du XVIIe siècle. A ce résultat contribuèrent
ini qui sont les auteurs, respectivement, de la célèbre Fontaine des Quatre-Fleuves et de
original achèvement de l'église de Ste. Agnès in Agone.

Plaza Navona situada sobre el antiguo circo de Domiciano, conserva la característica forma
iptica por su de limitación con edificios construidos sobre las ruinas del susodicho monumen-
romano. Hasta 1850 aproximadamente sede de fiestas populares, torneos, festejos históricos,
. recibió en el siglo XVII su conformación definitiva, convirtiéndose en uno de los conjuntos
rrocos más armoniosos de la Roma del XVII. A ello contribuyeron en manera decisiva los
s mayores artistas del barroco italiano G. L. Bernini e F. Borromini, autores respectivamente
 la famosa fuente de los Cuatro Ríos y del original remate ed la Iglesia de Santa Inés in
gone.

iazza Navona - Bernini - Fontana dei Fiumi
avona Square - Bernini - Fountain of the Rives
avona Platz - Bernini - Brunnen der Flüsse
ace Navona - Bernini - Fontaine des Fleuves
aza Navona - Bernini - Fueste de los Rios

Santa Maria in Traste
Saint Mary in Trastev
Sankt Maria in Traste
Sainte Marie à la dro
du Tibre
Santa Maria en Traste

70

*Isola Tiberina e
Ponte Rotto*

*Tiberine Island and
Broken Bridge*

*Tiber Insel und
Abgebrochene Brücke*

*Ile Tibérine et
Pont Rompu*

*Isla Tiberina y
Puente Roto*

Foro Italico
Stadio dei Marmi

Forum Italicum
Marble Stadium

Italisches Forum
Marmor Stadium

Forum Italique
Stadium des Marbres

Foro Italico
Estadio de los Mármo

Stadio Olimpico e
attrezzature sportive

The olympic stadium and
the sport-installations

Das olimpisches Stadium
und die Sportanlagen

Le Stadio olympique et
les installationes du sport

El stadio Olimpico y
instalaciones deportivas

Stadio Olimpico e
Foro Italico

Olympic Stadium and
Italic Forum

Olympisches Stadium
Forum Italicum

Stade Olympique et
Forum Italique

Estadio Olimpico y
Foro Italico

R.
e Palazzo dello Sport

R.
and Sport Palace

R.
und Sport Palast

R.
et Palais du Sport

R.
y Palacio del Deporte

Tivoli - Villa d'Este
Fontana dell'Organo

Tivoli - Villa d'Este
Fountain of the Organ

Tivoli - Villa d'Este
Orgel Brunnen

Tivoli - Villa d'Este
Fontaine de l'Orgue

Tivoli - Villa d'Este
Fuente del Organo

Tivoli - Villa d'Este - Le Cento Fontane
Tivoli - Villa d'Este - The Hundred Fountains
Tivoli - Villa d'Este - Die Hundert Brunnen
Tivoli - Villa d'Este - Les Cent Fontaines
Tivoli - Villa d'Este - Las Cien Fuentes

ILLA D'ESTE

lla d'Este che per i suoi cipressi monumentali e le innumerevoli fontane è una delle più
lle ville del mondo. Fu costruita da Pirro Ligorio nel 1550 per conto di Ippolito II d'Este.
ssò alla Casa imperiale austriaca e quindi rivendicata dal Governo Italiano che ne ha
cresciuta la bellezza. Bellezza che, più che essere descritta va goduta secondo un razionale
nerario da stabilirsi sul posto.

lla d'Este, because of its huge cypress trees and innumerable fountains, is one of the
est villas in the world. It was built in 1550 by Pirro Ligorio for Ippolito II d'Este. Later
was acquired by the Imperial Austrian House and then reclaimed by the Italian Government,
ich increased its beauty. More than described, its beauty must be enjoyed through a
cionally planned visit.

lla d'Este, mit ihren monumentalen Zypressen und unzähligen Wasserspielen eine der schön-
en Villen der Welt, wurde 1550 von Pirro Ligorio für Hippolyt II. von Este angelegt. Sie
langte später in den Besitz des österreichischen Kaiserhauses und wurde nach dem ersten
eltkrieg von der italienischen Regierung übernommen, die seitdem durch Restaurierungen die
hönheit der Anlage noch erhöht hat. Ihr Reiz lässt sich schwer beschreiben; bei einem
rgfältig geplanten Rundgang wird der Zauber des Parks seine Wirkung nicht verfehlen.

lla d'Este, grâce à ses cyprès monumentaux et à ses innombrables fontaines, est une des
us belles villas du monde. Ce fut Hippolyte II d'Este qui la fit construire par Pirro Ligorio
1550.
e passa ensuite à la Maison Impériale d'Autriche et fut finalement revendiquée par le
uvernement Italien qui en a augmenté la beauté, qu'au lieu de décrire, il faudrait plutôt
mirer et apprécier en suivant un itinéraire à décider sur place.

lla d'Este que por sus cipreses monumentales y las innumerables fuentes es una de las más
rmosas villas del mundo. Fue realizada por Pirro Ligorio en 1550 por cuenta de Ippolito d'Este.
só a la Casa imperial austriaca reivindicada después por el Gobierno italiano que la ha em-
llecida. Belleza que es, más que para ser descrita, para ser gozada según un itinerario ra-
onal a establecerse en el sitio.

voli - Villa d'Este - Fontane dell'Ovato
voli - Villa d'Este - Fountains of Ovato
voli - Villa d'Este - Brunnen von Ovato
voli - Villa d'Este - Fontaines de l'Ovato
voli - Villa d'Este - Fuente del Ovato

Tivoli - Villa d'Este - La Rometta e le Cento Fontane
Tivoli - Villa d'Este - The Rometta and the Hundred Fountains
Tivoli - Villa d'Este - Die Rometta und die Hundert Brunnen
Tivoli - Villa d'Este - La Rometta et les Cent Fontaines
Tivoli - Villa d'Este - La Rometta y las Cien Fuentes